L'éditeur remercie particulièrement
Les Olivades
(chemin des Indienneurs,
13103 St-Étienne-du-Grès)
pour le motif de la couverture de ce livre
qui provient de leur collection de tissus provençaux.

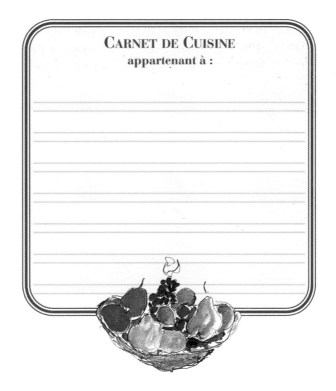

CARNET DE CUISINE
appartenant à :

© Éditions Équinoxe 1999
Domaine de Fontgisclar
Draille de Magne
13570 Barbentane

ISBN n° 2 84135 163 7

Conception graphique : Étienne Marie

Mon carnet de Cuisine

texte de Claire Lhermey
illustrations de Cécile Colombo

ÉQUiN•XE

Petits propos sans prétention, sur la Grande Cuisine comme sur la petite tambouille, sur l'art culinaire au quotidien comme chez les plus grands, avec quelques trucs et astuces, diverses recettes et une pincée d'histoire . . .

Au Menu :

En hors d'œuvre,
un peu d'histoire.

En entrée, quelques grands noms.

Comme plat de résistance,
les principaux modes de cuissons,
accompagnés des termes qu'il faut
savoir.

En guise de salade, des poids
et des mesures dans une cuisine
bien équipée.

En plateau de fromage,
les trucs et astuces du cuisinier.

Et pour les douceurs, quelques
gourmandes spécialités régionales.

Un peu d'histoire

Le premier « geste culinaire » fut sans doute celui d'un génial, d'un ingénieux précurseur, qui trouva l'idée d'approcher du feu, son morceau de viande. Un doux grésillement, une succulente odeur… La **grillade** était née ! Après s'être longtemps contenté de cueillette, herbes, feuilles et baies diverses, l'homme entamait enfin la longue histoire de la cuisine, et à plus long terme, de la gastronomie.

Sautons quelques siècles de tâtonnements ou d'imprévisibles feux de forêts brûlèrent à maintes reprises le rôti pour en arriver à l'Antiquité, berceau de notre civilisation comme chacun sait. Berceau aussi de la cuisine méditerranéenne, avec déjà force consommation de vin, olives, miel, et fromages de chèvre ainsi que de « garum », sauce de poisson fermentée apparentée au nuoc mâm, et aujourd'hui disparue. Plutôt frugale chez le peuple, la cuisine grecque et romaine s'élabore en mets complexes et raffinés pour les plus riches qui, sans hésitation, en usent et en abusent lors de festins et banquets, fêtes dionysiaques et autres bacchanales.

Ce n'est qu'au Moyen Âge que « la cuisine française » prend naissance. Une cuisine épicée, pour cause de conservation, assaisonnée de sauces aigrelettes, voire acides, et préparée pratiquement sans corps gras. La moutarde date de cette époque et les confitures, dont Nostradamus nous a laissé quelques recettes étaient fort prisées.

À la Renaissance, la découverte du Nouveau Monde fait connaître de formidables nouveautés, comme la **tomate,** le maïs et le piment, sans compter le cacao et le café. La **pomme de terre**, découverte contemporaine, ne sera cultivée en France que plus tard sous Louis XVI, grâce à l'assiduité de Parmentier, (Antoine-Auguste et non hachis de son prénom) qui s'ingénia à populariser le tubercule. C'est à cette époque également que se développe l'usage de la fourchette et de l'assiette individuelle.

Au XVIIe siècle, la cuisine prend ses lettres de noblesse. Les sauces liées comme « le roux » apparaissent, alors que les épices ne sont presque plus utilisées. La science des cuisiniers s'affine. Ces derniers sont à la recherche de l'essence même du goût, voire de sa quintessence et vont jusqu'à nommer leurs sauces et coulis, « de l'or liquide »… Les repas pour les aristocrates, sont régentés avec ordre et beauté, « luxe, calme et volupté » aurait ajouté Baudelaire, tout comme un jardin à la française. La fin du siècle donne naissance aux premiers restaurants (pour exemple : *Le Procope* à Paris) qui remplacent les tavernes mal famées et autres lieus de perdition.

Mais c'est à partir de la révolution que les restaurants se multiplient. Les grands cuisiniers autrefois au service des nobles et soudain privés d'emploi, ouvrent leurs propres établissements. Des noms resteront célèbres, comme *Les Frères Provençaux*, *Le Bœuf à la Mode*, *Le Grand Véfour*, ou *Le Café Anglais*.

Au XIXe siècle la cuisine française se magnifie, et devient un modèle de la gastronomie internationale.

> **66** *… Après ne rien faire, je ne sais pour moi de plus précieuse occupation que de manger ; manger comme il faut, il s'entend. Ce que l'amour est pour le cœur, l'appétit l'est pour l'estomac.* **99**
>
> Rossini

Parallèlement la cuisine bourgeoise, ou cuisine familiale se met en place, riche de longs menus mijotés pour d'interminables repas de famille perdurant encore parfois jusqu'à nos jours pour le plus grand malheur des enfants.

Les inventions du XXe siècle, tombant en rapides cascades vont révolutionner radicalement les habitudes alimentaires. En si peu de temps, **réfrigération**, congélation ainsi qu'un matériel électrique qui ne cesse d'évoluer et de se multiplier, vont tout changer.

Parallèlement l'industrie alimentaire transforme les produits, qui perdent en qualité ce qu'ils gagnent en abondance tandis qu'une certaine notion de diététique et de fraîcheur se met en place. Le contemporain à force d'incessantes lectures de journaux de mode où de filiformes créatures s'étalent sur les pages, éprouve le désir de rester sain et svelte. Il n'en faut pas plus pour que naisse vers 1970, *La Nouvelle Cuisine*. Celle-ci après avoir dépassé quelques aberrations, du genre trois **haricots verts** perdus dans un grand plat combattant une **crevette** rose, est en train de devenir l'une des cuisines les plus intéressantes, tant par la qualité que par la création, que nous ayons jamais connue au cours de l'histoire.

Quelques Grands Noms

Lucullus (-106 av J.C. - 57 av J.C.) Général romain, s'illustrant dans la guerre contre Mithridate,

il est plus connu pour son goût du luxe et de l'abondance, ainsi que pour ses célèbres festins chantés par Cicéron, Pompée ou Caton.

Taillevent (1310-1395) cuisinier sous Charles VI, il conçoit une cuisine nouvelle, forte de sauces et d'épices et nous transmet un des premiers livres de cuisine, avec recettes de l'époque, un ouvrage intitulé *Le Viandier*.

François Vatel (1631-1671) ce maître d'hôtel du Grand Condé, et cuisinier de grand talent, fut appelé un jour funeste, à préparer un festin pour le roi. Le poisson n'étant pas livré à temps pour l'occasion, Vatel met tragiquement fin à ses jours en se transperçant de son épée.

Anthelme Brillat-Savarin (1759-1826) gastronome français, cousin de madame de Récamier, homme du monde et juriste, il publie en 1825, le célèbre ouvrage *La physiologie du goût*.

Adolphe Duglèré (1805-1884) chef cuisinier dans de grands restaurants parisiens comme *Le Café Anglais*, il nous laisse des recettes aujourd'hui devenues de grands classiques comme les « filets de sole à la Duglèré », « les pommes Anna » ou encore le « potage Germiny »

Auguste Escoffer (1846-1935) les écrits de ce grands cuisinier, écrivain et humaniste, servent encore aujourd'hui de référence, comme son *Guide Culinaire*, publié en 1901. Nous lui devons entre autres créations, la fameuse « pêche Melba », ainsi nommée en l'honneur d'une diva australienne.

Les principaux modes de cuisson et les termes qu'il faut savoir

Le Grill

Nous l'avons vu dans « un peu d'histoire », le premier mode de cuisson fut vraisemblablement la grillade au feu de bois, encore à l'honneur aujourd'hui sous forme de barbecue sacro-saint du dimanche. Quelques principes à observer, assureront la réussite du procédé. La braise doit être à point, sans flamme, mais encore rougeoyante, et en lit suffisamment épais pour assurer la cuisson jusqu'à la fin. Si la graisse de la viande, en tombant sur la braise, ravive trop de flammes, il suffit de jeter un peu de sel par dessus pour les éteindre.

La cuisson a l'Eau

Ce principe cuit nombre de plats, de l'œuf à la coque au pot-au-feu. Un dilemme cependant, cornélien pour le moins, se pose au cuisinier qui s'apprête à cuire à l'eau quelque aliment de son choix. Faut-il privilégier l'aliment, viande ou légume, ou bien le bouillon ? Dans le premier cas, l'aliment sera plongé dans l'eau bouillante, provoquant ainsi une coagulation de l'albumine. Celle-ci, jouant le rôle d'une enveloppe protectrice imperméable, conservera tout son goût à l'aliment. Au contraire, celui-ci mis dans une eau froide portée progressivement à ébullition, transmettra au bouillon, toute sa saveur et sa valeur nutritive.

> 66 *La selle de cheval est plus consistante que la selle d'agneau.* 99
>
> Pierre Dac

ou numéros de thermostat dont la connaissance peut rendre service.

Thermostat 1 à 3 = 105 à 150° C (meringues et macarons)

Thermostat 3 à 5 = 150 à 180° C (sablés, quatre-quarts)

Thermostat 5 à 7 = 180 à 225° C (flans, pâtés en croûte)

Thermostat 7 à 8 = 225 à 250° C (tartes aux fruits)

Thermostat 8 à 9 = 250 à 265° C (rosbif)

Quelle que soit la température choisie, il est impératif pour toutes ces cuissons de toujours préchauffer le four avant d'y enfourner un plat.

Le Rôtissage

Primitivement creusé dans un sol enduit d'argile et tapissé de diverses feuilles de bananier ou autres, le four, aujourd'hui, est d'un emploi pratique, à chaleur facilement réglable, voire constante ou même tournante. Elle s'étalonne en degrés centigrades

La cuisson à la Cocotte

C'est une cuisson lente et régulière, un mode facile à réussir mais qui demande du temps, symbole d'une cuisine d'autrefois, mijotée avec amour sur le coin du fourneau. Viandes et légumes, liés ou non d'un peu de farine, égayés parfois d'un doigt de vin, et cachés sous un épais couvercle cuisent ensemble, mariant de façon intime, leurs sucs et leurs saveurs …

La Friture

Au lieu de jeter l'huile bouillante sur l'assiégeant, du haut du rempart, c'est l'aliment que l'on jettera dans cette dernière pour le cuire par surprise avec rapidité. Il est bien entendu que seule une huile de bonne qualité supportant la chaleur extrême (arachide) conviendra pour ce mode de cuisson. Dans tous les cas il faudra s'abstenir de la laisser fumer, car il s'en dégagerait de l'acroléine, substance nocive résultant de la décomposition d'un corps gras, à l'odeur âcre et irritante …

La cuisson à la Poêle

Elle est d'un usage si courant, que le cuisinier le moins émérite ne se posera pas la moindre question sur cette façon de faire. Il faut pourtant savoir que la poêle elle-même a toute son importance. Elle doit être d'excellente qualité, particulièrement si on choisit un revêtement anti-adhésif qui, dans les modèles bon marché s'altère très rapidement. Pour éviter de faire brûler le beurre dans la poêle, il suffit d'y ajouter une goutte d'huile.

La cuisson a la Vapeur

Sa vogue, telle une vague, va, vient, s'envole et revient. Amie par excellence des régimes et de la bonne conscience, la cuisson à la vapeur n'en est pas moins pour autant l'amie du gastronome, car elle conserve au mieux, le goût naturel de l'aliment, autrement dispersé dans l'eau de cuisson.

Un impératif cependant, ne choisir pour ce mode de cuisson que des produits de première qualité et bien assaisonner.

Quelques termes de cuisine

Abaisse : morceau de pâte que l'on a abaissé au rouleau pour lui donner l'épaisseur voulue. Plus généralement, fond de tarte.

Appareil : préparation d'un mélange de plusieurs ingrédients devant composer une farce ou une garniture quelconque.

Blanchir : plonger des aliments dans l'eau bouillante, avant toute préparation pour les attendrir ou les nettoyer.

Chemiser : garnir un moule de papier cuisson. On peut aussi chemiser un moule, et donc le tapisser d'une gelée ou d'une glace.

Décanter : transvaser un liquide après repos, pour ne conserver que la partie pure en laissant le dépôt dans le premier flacon.

Duxelle : hachis d'échalotes et de champignons destiné aux farces et sauces.

Foncer : garnir le fond d'un moule avec de la pâte, ou disposer au fond d'une casserole des bardes de lard, rondelles d'oignons et de carottes.

Julienne : petits légumes différents, carottes, poireaux, navets céleri, découpés en fines lanières. Potage fait de légumes ainsi préparés.

> *J'aime une cuisine simple, nette, droite, de goût et qui ne vise jamais à l'effet, une cuisine paisible et mijotée.*
>
> Curnonsky

Liaison : façon de rendre une sauce ou un potage plus onctueux par l'adjonction de divers éléments, farine, jaune d'œuf etc.

Mirepoix : Préparation de légumes ou d'aromates généralement destinés à corser un potage ou une sauce.

Monder : ôter la peau de divers aliments, notamment celles des amandes après les avoir échaudées.

Réduire : faire cuire une sauce ou un jus pour l'épaissir en diminuant son volume de liquide.

Revenir : passer un aliment dans un corps gras très chaud pour le saisir et le colorer sans le faire roussir.

Salpicon : composition de plusieurs mets coupés en dés, tels que champignons, jambon, blancs de volaille, truffes etc.

À chaque viande son morceau

Bifteck, jambon, côtelette, nous avons tous une vague idée de l'emplacement de ces morceaux sur l'animal, sans toutefois y prêter grande attention, l'emplacement final et inéluctable finissant toujours par être poêle, cocotte ou lèchefrite … Quand il s'agit d'aloyau, ou de flanchet, la question est déjà plus difficile et il peut être intéressant d'avoir quelques notions sur le sujet, ne serait-ce que pour faire bonne figure devant son boucher. Celui-ci, impressionné par votre culture ne manquera pas alors, de vous réserver ses meilleurs morceaux

Il est tout de même important de savoir qu'à chaque morceau correspond un mode et un temps de cuisson particulier.

Pour le bœuf, les morceaux cuits longuement à l'eau sont le gîte à la noix, la macreuse ou le plat de côte.

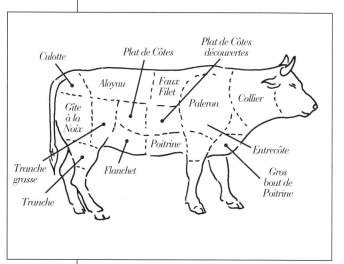

Les biftecks se taillent dans la bavette, la hampe, la tranche, ou encore l'onglet. Les rôtis se trouvent dans le faux-filet, le rumsteck ou l'aloyau. Jumeau, paleron et tende de tranche se cuisinent braisés.

Pour le **mouton**, poitrine et collet font de bons ragoûts. Les rôtis sont pris dans la selle, le gigot ou l'épaule. Les côtelettes font d'excellentes grillades.

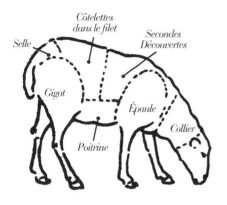

Selle
Côtelettes dans le filet
Secondes Découvertes
Gigot
Épaule
Collier
Poitrine

Pour le **porc**, le jambon et la poitrine sont bouillis longuement. Les côtelettes sont grillées ou poêlées. L'échine et le filet produisent de bons rôtis.

Côtelette
Filet
Jambon
Épaule
Poitrine

15

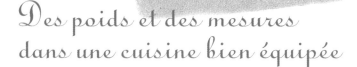

Des poids et des mesures
dans une cuisine bien équipée

Les manuels pour bonne ménagère, cuisinière idéale et autre parfaite maîtresse de maison, regorgent, au début du siècle, d'idées pour aménager, décorer, organiser, en un mot consacrer ce lieu où la digne mère de famille se doit de passer le plus clair de son temps pour le bonheur des siens.

$\mathcal{D}$'abord, il faut la peindre en **bleu**, la cuisine s'entend, et non la cuisinière, car le bleu éloigne les mouches, mais en bleu clair, surtout, pour ne pas y perdre en luminosité. L'exposition au nord, ou à défaut à l'est, est vivement conseillée, pour que l'ardeur des rayons du soleil, ne vienne s'ajouter à la chaleur des fourneaux, ainsi que pour assurer au garde-manger, toujours logé sous la fenêtre, une fraîcheur maximale. La dite fenêtre, du reste, se doit d'être entrouverte pendant la nuit pour cause d'aération. Par ailleurs, il est vivement conseillé d'installer la pompe à eau près de l'évier, à moins, qu'en ville et dans un appartement très moderne, on ait la chance inouïe d'avoir un robinet d'eau courante …

Ces principes étant acquis, il faudra encore prévoir une table, quelques placards et étagères et surtout, l'indispensable batterie de cuisine. Les manuels cités précédemment établissent nombre de listes prévoyant casseroles multiples, sautoirs, faitouts et poissonnières. Mais chacun sait bien aujourd'hui, ce dont il a réellement besoin, à savoir les quelques boîtes en plastique, qui vont sans encombre du micro-onde au congélateur et inversement. Un ustensile, me semble cependant essentiel dans une cuisine. C'est le petit couteau pointu en acier non inoxydable, muni de sa pierre à affûter et de sa planche à découper. Avec cela, il ne manque guère qu'une bonne poêle, une casserole, une cocotte et une cuiller en bois … Le reste ne serait qu'un appréciable superflu, dont la liste serait plus longue qu'un inventaire de Prévert.

Parmi les ustensiles rarement indispensables, mais terriblement pratiques, on trouvera l'éventail des balances, romaines ou Roberval, et autres verres doseurs, qui servent à mesurer les produits entrant dans la composition de quelques délicates pâtisseries. A défaut, en cas de séjour imprévu sur une île déserte, ou dans quelque villa louée mal équipée, il suffira d'avoir mémorisé les équivalences suivantes pour maîtriser sans peine l'art de ces savants dosages :

Pour une tasse rase :
   farine = 150g
   fécule de maïs et semoule = 200g
   sucre = 250g
   lait et eau = un quart de litre

Pour une cuiller à soupe rase :
   farine et gruyère râpé = 10g
   sucre en poudre = 15g
   riz = 20g
   miel = 30g

> 66 **De tous les arts, l'art culinaire est celui qui nourrit le mieux son homme.** 99
>
> Pierre Dac

Trucs et astuces du cuisinier

Gâteau : pour vérifier la cuisson d'un gâteau, enfoncer la lame d'un couteau en plein centre. Le gâteau est cuit si la lame ressort sèche

Lait : pour que le lait « n'attache pas » au fond de la casserole, passer cette dernière sous l'eau froide avant d'y verser le lait.

Mayonnaise : pour rattraper une mayonnaise, délayer un peu de mayonnaise tournée avec une cuiller à soupe de vinaigre bouillant. Ajouter tout en remuant, le reste de la mayonnaise tournée à ce mélange.

Œuf fêlé : il faut avant tout savoir qu'un œuf fêlé, ne se garde pas au-delà de 24 heures. Pour le cuire à l'eau sans qu'il ne se répande dans la casserole, il suffit de frotter la fêlure d'un peu de jus de citron.

Oignons : pour ne plus pleurer en les épluchant, il suffit de procéder sous un filet d'eau froide.

Mœlle : pour éviter de perdre la mœlle de l'os du pot-au-feu, la piquer de quelques grains de gros sel de chaque côté de l'os. N'ajouter l'os au bouillon qu'en fin de cuisson, 20 minutes suffisent à cuire la mœlle.

Fruits secs : rouler dans la farine ou dans du sucre en poudre, fruits secs et fruits confits, avant de les incorporer à la pâte d'un gâteau, ainsi ils ne tomberont plus au fond du moule et seront mieux répartis.

Sel : pour neutraliser un excès de sel pendant la cuisson d'un plat, y ajouter quelques grosses tranches de pommes de terres crues.

> *Le café est un breuvage qui fait dormir quand on n'en prend pas.*
>
> Alphonse Allais

Gâteau : pour bien démouler un gâteau, poser le moule sur une surface froide et le recouvrir d'un torchon humide, avant le démoulage.

Citron : pour conserver un citron entamé, il suffit de saupoudrer l'entame de sel fin. Couper cette tranche salée au moment du prochain usage.

Spécialités régionales

À l'histoire de la cuisine, très résumée plus haut, s'ajoute l'histoire de chaque région, de chaque ville même. Cette cuisine du terroir revient fortement au goût du jour, conscients que nous sommes d'avoir à préserver ce patrimoine gustatif pour notre plus grand plaisir. Mais connaissons-nous bien ces spécialités régionales ?

A vous de jouer en raccordant chaque ville à sa spécialité.

Spécialités :

1. L'andouille
2. Les bêtises
3. Les biscuits roses
4. La brandade
5. Les calissons
6. Le cassoulet
7. La confiture de groseilles
8. La confiture de roses
9. Le cotignac
10. La fouace
11. La fourme
12. Les galettes
13. Les huîtres
14. Le jambon
15. Le nougat
16. La pogne
17. Les rillettes
18. La rosette
19. Les saucisses
20. Le saucisson

Villes :

A. Aix
B. Ambert
C. Arles
D. Bayonne
E. Bar le Duc
F. Cambrai
G. Le Mans
H. Lyon
I. Marennes
J. Montélimar
K. Nîmes
L. Orléans
M. Pont-Aven
N. Provins
O. Reims
P. Roman
Q. Rodez
R. Strasbourg
S. Toulouse
T. Vire

Réponses : 1-T ; 2-F ; 3-O ; 4-K ; 5-A ; 6-S ; 7-E ; 8-N ; 9-L ; 10-Q ; 11-B ; 12-M ; 13-I ; 14-D ; 15-J ; 16-P ; 17-G ; 18-H ; 19-R ; 20-C.

Recettes d'autrefois

Brouet Vertgay du Moyen Age

Faites cuire du grain (blé, orge, riz) dans un mélange de bouillon, et de vin, assaisonné de persil, sauge, gingembre et safran, avec un morceau de lard. En fin de cuisson, ajoutez des jaunes d'œufs et du fromage.

Poisson à la Sarriette du temps de la Rome Antique

(recette attribuée à Lucrèce)

Faites cuire un poisson à l'eau salée additionnée de ciboulette et de « Garum » (voir plus haut), que vous remplacerez par du nuoc-mâm asiatique. Arrosez le poisson cuit d'un mélange de miel, de vinaigre et de vin cuit et parsemez de sarriette fraîche émiettée.

Pain aux Champignons du XVIIIe Siècle

Lavez, parez et coupez une livre et demie de champignons. Faites-les cuire dans du beurre avec un peu de farine et d'eau, et un bouquet garni. Assaisonnez de sucre et de sel et liez en fin de cuisson, avec de la crème fraîche et des jaunes d'œufs. Versez ce ragoût de champignons, sur une tranche de pain large comme une assiette et coupée en 6 parts.

> 66 *Quand on meurt de faim,*
> *il se trouve toujours un ami*
> *pour vous offrir à boire.* 99
> Antoine Blondin

les apéros & Coktails

> ❝ *L'apéritif, c'est la prière du soir des français.* ❞
>
> Paul Morand

Même assis, je ne tiens pas debout.

Jacques Prévert

66

*Le vin
est le professeur du goût,
le libérateur de l'esprit
et l'illuminateur de
l'intelligence.*

99

Paul Claudel

les Entrées

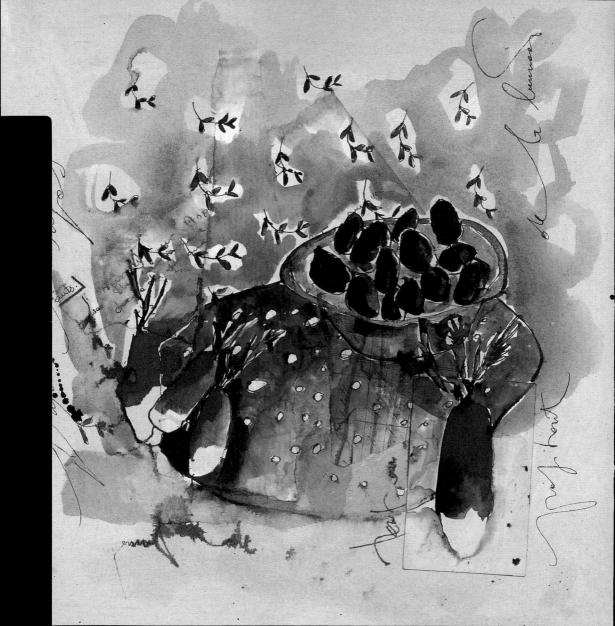

> **Moi,
> quand c'est bon,
> ça m'est égal qu'il y en ait beaucoup.**
>
> Yvan Audouard

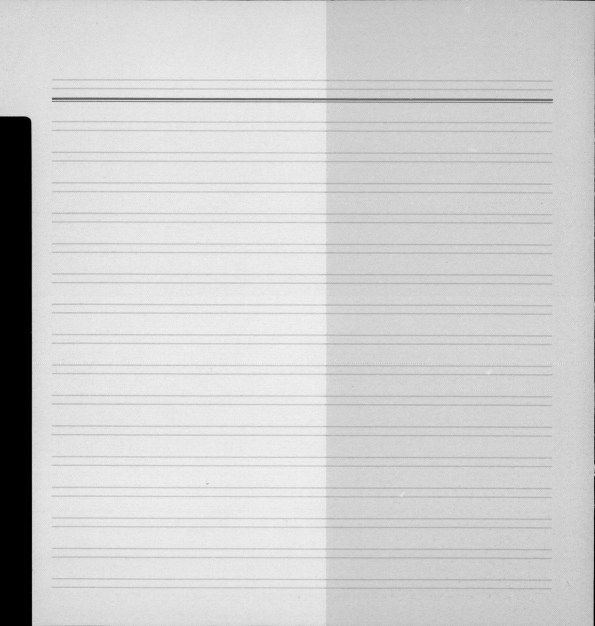

La Cène

Ils sont à table
Ils ne mangent pas
Ils ne sont pas dans leur assiette
Et leur assiette se tient toute droite
Verticalement derrière leur tête

Jacques Prévert
Paroles

les Entrées

> **Chaque fois qu'on va se faire cuire un œuf,**
> **c'est comme si on envoyait un poussin se faire cuire.**
>
> Raymond Devos

> **Le jambon fait boire,
> le boire désaltère,
> donc le jambon désaltère.**
>
> Montaigne

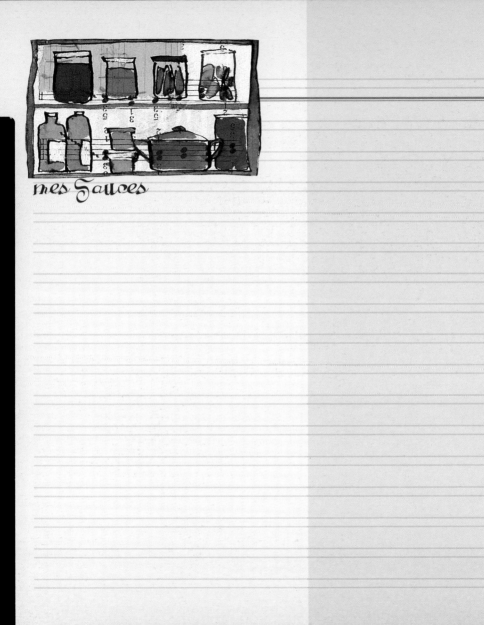

mes Sauces

Les Viandes

Les Volailles

Il y a deux tragédies dans la vie : l'une est de ne pas satisfaire son désir et l'autre est de le satisfaire.

Oscar Wilde

LES viandes *

> 66 *Il n'y a pas d'amour plus sincère que celui de la bonne chère.* 99
> Bernard Shaw

> *Il ne faut pas que le loup mange le mouton, cela est immoral...*
> *Car c'est <u>moi</u> qui dois manger le mouton.*

Paul Valéry

LES *
viandes

Les ingrédients

> **Le poulet est rosé à point lorsqu'il a une couleur de violon.**
>
> Ramon Gomez de la Serna

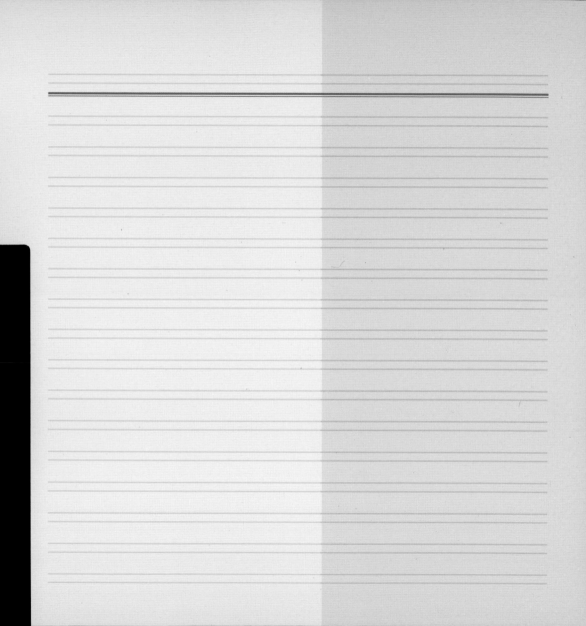

Les Herbes

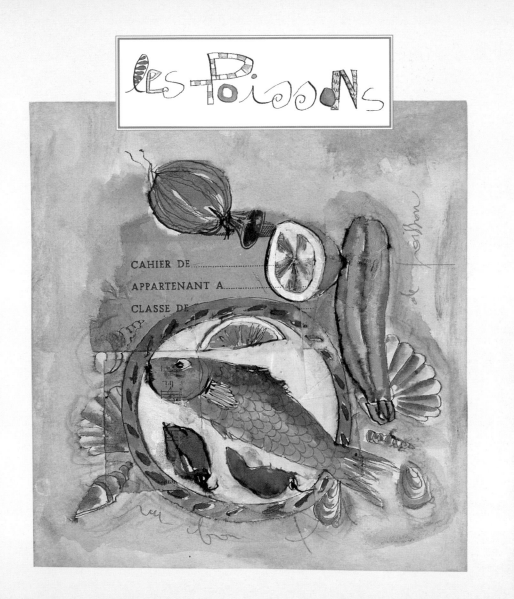

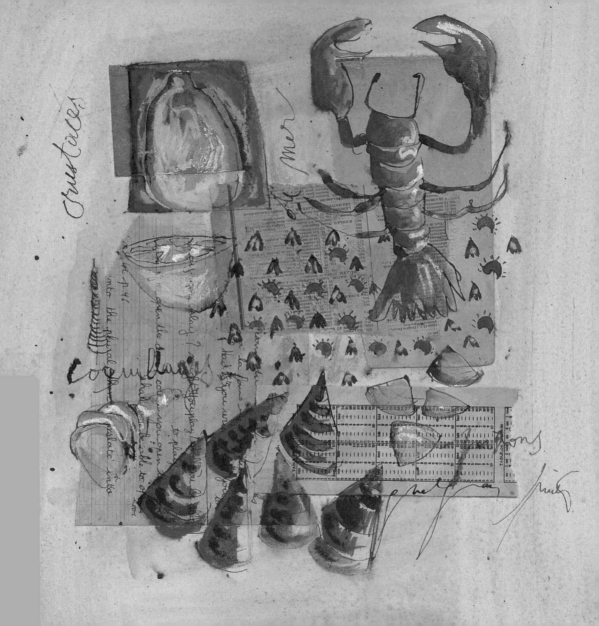

Oven-Roasted Sea Bass With Couscous and Warm Tomato Vinaigrette

While the fish is roasting, prepare the couscous so you can serve it as soon as it comes out of the oven. For extra moistness, we used more liquid in our couscous than the package calls for.

1 green onion
2 tablespoons olive oil
2 garlic cloves, minced
1 cup chopped tomato
3 tablespoons fresh lemon juice, divided
1 tablespoon sherry vinegar
1 teaspoon kosher salt, divided
1¼ cups fat-free, less-sodium chicken broth
⅔ cup uncooked couscous
¼ cup chopped fresh chives
4 (6-ounce) sea bass or halibut fillets (about 1½ inches thick)
¼ teaspoon freshly ground black pepper
Cooking spray
8 (¼-inch-thick) slices lemon, halved (about 1 lemon)
Whole chives (optional)

1. Preheat oven to 350°.

2. Cut green onion into 3-inch pieces, and cut pieces into julienne strips.

3. Heat oil in a large nonstick skillet over medium-high heat. Add garlic; sauté 30 seconds or until garlic begins to brown. Add the tomato and onions; reduce heat to medium, and cook for 1 minute. Remove from heat; stir in 2 tablespoons lemon juice, vinegar, and ½ teaspoon salt. Keep warm.

4. Combine 1 tablespoon lemon juice, ¼ teaspoon salt, and broth in a medium saucepan; bring to a boil. Gradually stir in couscous and chopped chives. Remove from heat; cover and let stand 5 minutes. Fluff with a fork. Cover and keep warm.

5. Sprinkle fish with ¼ teaspoon salt and pepper. Place fillets in an 11 x 7-inch baking dish coated with cooking spray. Place 4 halved lemon slices on each fillet. Bake at 350° for 20 minutes or until fish flakes easily when tested with a fork. Serve over couscous, and top with vinaigrette. Garnish with whole chives, if desired. Yield: 4 servings (serving size: 1 fillet, ½ cup couscous, and ¼ cup vinaigrette).

CALORIES 346 (29% from fat); FAT 11.2g (sat 1.9g, mono 5.8g, poly 2.2g); PROTEIN 36.5g; CARB 25.2g; FIBER 1.9g; CHOL 70mg; IRON 1.6mg; SODIUM 777mg; CALC 49mg

Roasted-Corn-an[...]

Fresh basil and flavorful cheeses m[...]
you choose frozen corn in place of [...]
skillet to keep it from sticking. Spri[...]
on the crust helps hold the vegetable[...]

CRUST:

- 1 cup all-purpose flour
- 2 tablespoons yellow cornmea[...]
- ¾ teaspoon baking powder
- ¼ teaspoon kosher salt
- 5 tablespoons water
- 1½ tablespoons olive oil
- Cooking spray

FILLING:

- 1½ cups fresh corn kernels (abou[...]
- ½ cup (2 ounces) shredded sm[...]
  divided
- 3 tablespoons chopped fresh b[...]
- ¼ teaspoon kosher salt
- ¼ teaspoon freshly ground bla[...]
- 1 large tomato, cut into ¼-inc[...]
- 1 tablespoon grated Parmigia[...]

1. Preheat oven to 375°.

2. To prepare crust, lightly spoo[...]
cup; level with a knife. Combine fl[...]
and ¼ teaspoon salt in a large bow[...]
two. Add water and oil, stir until [...]

Balsamic vinegars range in price from a few dollars
to a few hundred dollars per bottle. The pricier stuff
is the real thing: Trebbiano grape juice aged 12 years
in wooden casks according to a time-honored Italian
process. (As the years pass, the fermenting juice,
concentrated by evaporation, is placed in increasingly

egar

Grilled Striped Bass With Chunky Mango-Ginger Sauce

4 (6-ounce) striped bass or other
   firm white fish fillets (such as
   amberjack or grouper)
1 tablespoon olive oil
½ teaspoon kosher salt
¼ teaspoon black pepper
1 cup Chunky Mango-Ginger
   Sauce

1. Prepare grill.

2. Brush fish with oil; sprinkle with salt
and pepper. Grill fish for 4 minutes on
each side or until the fish flakes easily
when tested with a fork. Serve with the
Chunky Mango-Ginger Sauce. Yield: 4
servings (serving size: 1 fillet and ¼
cup sauce).

(Totals include Chunky Mango-Ginger Sauce) CALORIES 296 (34%
from fat); FAT 11.3g (sat 2.2g, mono 6.1g, poly 2.1g); PROTEIN
32.9g; CARB 15.3g; FIBER 1.2g; CHOL 116mg; IRON 3mg; SODIUM
363mg; CALC 157mg

CHUNKY MANGO-GINGER SAUCE:

1 tablespoon olive oil
2 cups finely chopped red onion
2 cups cubed peeled ripe mango
1 cup chopped tomato
3 tablespoons minced peeled fresh ginger
2 tablespoons minced garlic (about 6 cloves)
½ cup fresh lime juice (about 2 limes)
¼ cup orange juice
¼ cup dry sherry
3 tablespoons brown sugar
3 tablespoons white vinegar

1. Heat oil in a large nonstick skillet over medium-high
heat. Add onion; sauté 7 minutes, stirring frequently. Add
mango, tomato, ginger, and garlic; cook 5 minutes. Stir in
remaining ingredients; bring to a boil. Reduce heat; simmer
20 minutes. Yield: 2½ cups (serving size: 1 tablespoon).

CALORIES 18 (20% from fat); FAT 0.4g (sat 0.1g, mono 0.3g, poly 0g); PROTEIN 0.2g; CARB 3.8g;
FIBER 0.3g; CHOL 0mg; IRON 0.1mg; SODIUM 1mg; CALC 5mg

> 66 *J'adore les huîtres : on*
> *a l'impression d'embrasser*
> *la mer sur la bouche.* 99
> Léon-Paul Fargue

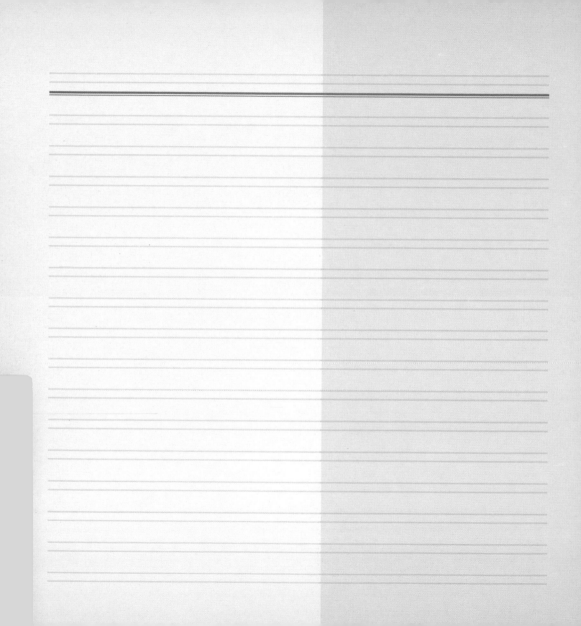

> « Gouvernez l'empire comme vous cuiriez un petit poisson. »
>
> Lao Tseu

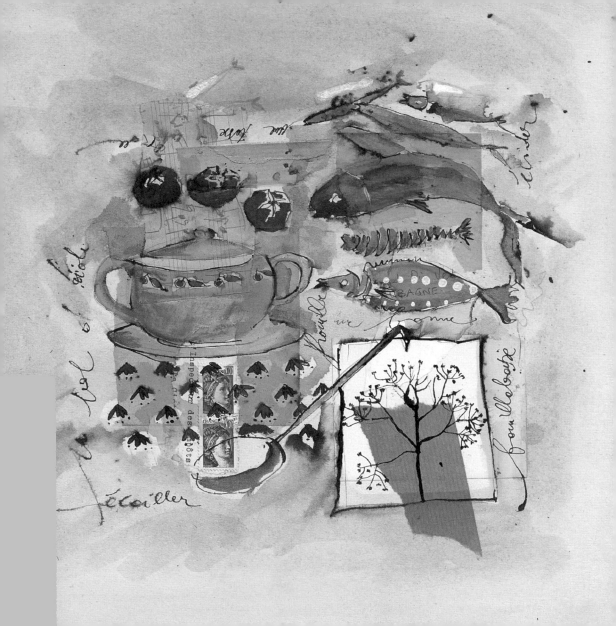

> **Et le désir s'accroît
> quand l'effet se recule.**
> Corneille

les Boissons

> **Dis-moi ce que tu manges,
> je te dirai qui tu es.**
>
> Brillat-Savarin

> **❝**
> *La langouste a des jumelles de*
> *spectacle à la place des yeux*
> **❞**
> Ramon Gomez de la Serna

les Poissons

LES IDÉES

en PLUS

petits Légumes

QUICHE: 1 cup milk, 3 eggs, 3/4 cup cheddar cheese, 1/3 cup swiss cheese. heat oven to 350. Use premade crust from grocery-Pillsbury- in Yougrt section. Prick crust. Set aside. Mix milk, eggs, and then set aside. Put ham, onion, basil, (whatever you want inside) on bottom of un cooked crust then put cheese in then egg mixture. cook for 30-35 minutes, let stand 10 mins before cutting...cheers, MLM

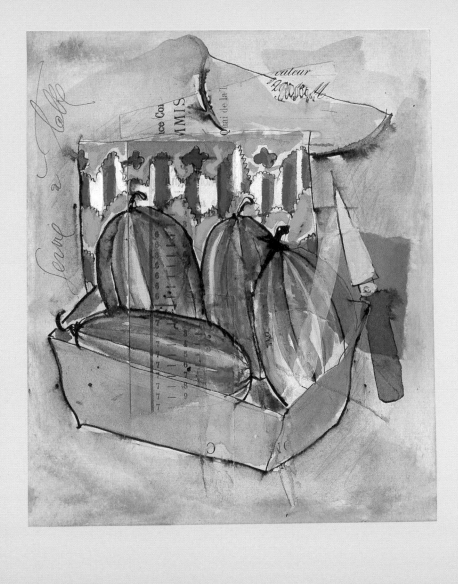

La soupe au chou favorise la pensée.

Joseph Delteil

Légumes

> **L'oignon gonflé
> et bedonnant
> comme les clowns
> qui ont trente-six gilets.**
>
> Jules Renard

66

Il n'est d'huile
que d'olive !
L'arôme exquis et fin
de l'huile d'olive
s'allie à la saveur
des mets et en
rehausse le goût…
L'emploi d'huile sans
goût est une aberra-
tion gastronomique.

99 Curnonsky

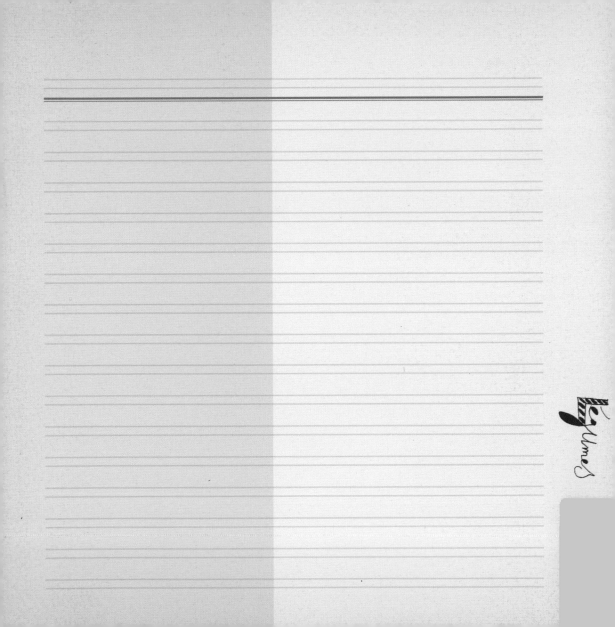

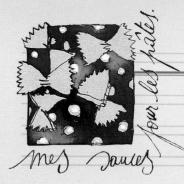

Mes sauces pour les pâtes.

Entremets

LES Desserts

Mes confitures

> 66 *La gourmandise*
> *est une préférence passionnée*
> *raisonnée et habituelle*
> *pour les objets*
> *qui flattent le goût.* 99
>
> Brillat-Savarin

Les Desserts

Les Desserts

> **Célébrons, mes amis,**
> **ce beau fruit que l'on mange.**
> **L'hiver pour son parfum,**
> **l'été pour sa fraîcheur**
> **Et que l'on a bien fait**
> **de dénommer « orange »**
> **Puisqu'il en a le goût,**
> **la forme et la couleur.**
>
> Tristan Bernard

Les Desserts

Les Desserts

> *La confiture
> n'est bonne
> que s'il faut monter
> sur une chaise
> pour attraper le pot
> dans le placard.*
>
> Alexandre Vialatte

> **« À la fin d'un bon repas, la pâtisserie est comme le bouquet d'un beau feu d'artifice. »**
>
> Talleyrand

Les Desserts

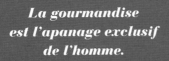

**La gourmandise
est l'apanage exclusif
de l'homme.**

Brillat-Savarin

Les Desserts

Les Desserts

Mes petits goûters

66

De toutes les passions,
la seule vraiment respectable
me paraît être la gourmandise.

99

Guy de Maupassant

Les Desserts

Achevé d'imprimer à l'été 1999,
sur les presses de l'imprimerie
Karmak, Bruino (TO), **Italie**

Photogravure
QuadriScan
04700 La Brillanne, **France**

2 ème édition. Novembre 1999